너라는

—

이야기

너라는 이야기

2020년 12월 28일 초판 1쇄 발행
2020년 12월 28일 초판 1쇄 인쇄

지은이 　　│징충

인쇄 　　　│아레스트 (s-lin@hanmail.net)
표지 　　　│studio GRIME (ceo@studiogrime.com)

펴낸이 　　│이장우
펴낸곳 　　│꿈공장 플러스
출판등록 　│제 406-2017-000160호
주소 　　　│서울시 성북구 보국문로 16가길 43-20 꿈공장1층
전화 　　　│010-4679-2734
팩스 　　　│031-624-4527
이메일 　　│ceo@dreambooks.kr
홈페이지 　│www.dreambooks.kr
인스타그램 │@dreambooks.ceo

꿈공장＋ 출판사는 모든 작가님들의 꿈을 응원합니다.
꿈공장＋ 출판사는 꿈을 포기하지 않는 당신 곁에 늘 함께하겠습니다.

ISBN 　│979-11-89129-77-4

정 가 　│12,000원

너
라
는

———

이
야
기

사랑

아이

생각

새벽녘 혼자 끄적거리던 시
아무런 경력조차 없고
글을 쓰는 법조차 배워 보지 않아
미흡하지만

당신이 제 시를 읽고
공감하고 쉬어가는
쉼터가 되고 싶습니다.

사랑

너라는 이야기

찰나의 순간
너와의 만남을 의미한다

너와는 짧은 순간이었다
짧은 만남이었지만
나의 인생에서 너는
사랑이란 제목의
한 페이지를 장식했다

내 곁을 스쳐 간 너는
스치듯 나를 떠나갔다

이 이야기의 다음 장을
쓸 수 있을까

나는 아직
이 페이지의 마침표를
찍지 않았는데

외강내유

어둠이 스치는 밤 너를 그린다

자존심은 누구보다 강하며
겉은 활시위처럼 강한 여자.

마음속은 누구보다 약하며
속은 어린아이처럼 약한 여자.

너를. 바라볼 때 나는
마치 솜사탕을 들고 있는 어린
여자아이를 바라보는듯한 표정으로
너를 대한다

어둠이 스치는 밤 너를 그린다

무상(無想)

모든 것이 나의 위주였던 그때 그날

나의 울타리 안으로
한 걸음 한 걸음

어느새 완전히 다가왔던 그댄
서로가 완전히 사랑하던 그땐

나의 위주였던 울타리 속 도화지
그대의 색으로 온통 범벅되어
나라는 존재는 온통 그대로 잊혀 갈 때

아, 그대는 그렇게 갔다
선명한 자취 버려둔 채

내가 사라진 나만을 남겨두고

비망록

너의 얼굴을
볼 수 있고,

너의 목소리를
들을 수 있고,

너의 피부를
느낄 수 있다는 것

당연한 일이지만
당연하지 않은 것
마치 타인을 위한 매너같이

네가 내 곁을 떠나가지 못하게
최선을 다해 사랑해야겠다
후회 속에 살지 않도록

노을

우리의 짧디짧았던 시간에 반비례하게

추억은 많았고
사랑은 더 커져

내 마음은 걷잡을 수 없어
노을이 지는 밤하늘을 보는 것만큼
복잡 미묘해진다

아름다운 모습에
질투 많고 천진난만한 여자아이
나의 그녀, 그대, 사랑
천만 가지의 이름을 가진 그 사람

당신이 내 곁을 떠나가듯
이 가을 이 노을이 진다

너라는 이야기

비애(雨愛)

빗소리가 똑똑똑

비가 오는 날엔 나를 찾아와
내 마음을 두들긴다
똑똑똑

비가 오는 날엔 나를 찾아와
내 눈가를 두들긴다
똑똑똑

비가 씻겨 내려가면
그대도 씻겨 내려간다
내 안의 너
씻겨 떠나간다

잘 가 그대여
안녕, 이제는 안녕

사랑한 후에

하루 지나 이틀이면
익숙해질까
그대 내게 차디차게 내뱉었던
말투들을

사흘 지나 나흘이면
잊을 수 있을까
당신이 날 행복하게 바라보던
눈웃음을

닷새 지나 엿새 되면
찾을 수 있을까
너와 같이 뜨겁게 안아주는
새 사랑을

줄다리기

우리의 사랑은 줄다리기와 같았다

서로 밀고 당기는
상대는 져야 하고 나는 이겨야 했던

팽팽하디팽팽했던
그 줄은 결국 끊어졌다

시간이 흘러
팽팽하다는 말은

남거나 모자람이 없다는 뜻도 있는 걸 알았다

우리가
그때의 우리가

조금 모자랐었다면
조금 남았었더라면
그랬었더라면

우리의 사랑은 줄다리기와 같았다

언제나 어디서나

한없이
사랑한다... 라고는 표현하기 벅찬
꽃내음이 나는 당신은
잠자는 나를 깨우고 가네요

한없이
아름답다... 라고는 표현하기 벅찬
가시가 나 있는 당신은
아프게 하며 나를 가시라고 하네요

좋았습니다
비가 와도
눈이 와도

모든 날이 당신이라서
좋았습니다.

너라는 이야기

그대의 밤

별빛이 내리는 으슬으슬한 밤

당신을 그리며 글을 쓰는 밤

너를 추억하며 잠 못 이루는 밤

당신은 20대 초반의 연애를
나의 동반자로 바치고 있네

나의 사랑
그대, 나에게 그대를 바치노라 다짐한다면

나 역시 기꺼이
내 심장을 불태워 남은 평생을
그대에게
쓰러지게 하겠노라.

너라는 계절

우리는 짧은 만남을 했고
짧은 사랑을 했다

이기적일 수 있겠지만
너에겐 고통일 수도 있는
우리의 추억들이
나에겐 행복이었다

서로 바라만 봐도
애틋했던
사랑했던
그 순간들이 행복이었다

그때, 우린 이렇게 될 줄 알았을까

너와 함께해서 행복했었다
이번 여름
너라는 계절을 보내서 행복했었다

꽃 피는 봄은 오지 않는다

그대는 꽃이오
나는 날개 잃은 나비로다

당신의 향기에 이끌려
날아왔음에도
저 같은 나비는
바라봐 주지 않는군요

불나방 같은 사랑
자석 같은 사랑
바보 같은 사랑을

나비는
하고 싶었습니다
원하였습니다

그대는 꽃이오
나는 날개 잃은 나비로다

희망고문

그대여
나를 봐주세요
매일 당신의 연락을 기다리고 있어요

그대는
나를 관심 없어 하는 것을 알지만
새벽에 취해
취한 척 연락할 테니 못 이긴척하고
받아주세요

끝이 보이는 뻔한 연애라
생각하지 말아 주세요

용기 내어 보내볼게요

너라는 이야기

보내지 못하는 편지

나에게 넌
새벽녘 밤하늘처럼
쓸쓸히 마주했던 미련이었고

아련했던
우리 그때 그날을
추억한다

혹시 다시 내게 온다면
그대여, 그때처럼
한걸음에 안겨주기를

사랑

등불 아래 이등병의 고민

저는 그렇게 생각합니다
서로가 사랑하고 보고 싶은데
아직 서로가 좋은데...

볼 수 없어 힘들어 등 돌린다는 것
그것만큼 미련한 일이 있을까요?

서로 사랑한다면
아직, 서로가 서로를 원한다면
각자의 자리에서 각자의 역할을 하며
기다리며 사랑하면 되지 않을까요?

그렇게 서로를 기다리다
혹여 식어간다면
등을 돌리는 게 맞습니다만

서로 사랑하고 있는데
아직, 서로가 서로를 사랑하는데...

너라는 이야기

기다린다는 게
서로가 멀어질 정도로
힘들 수가 있는 걸까요?

저는 그렇게 생각합니다

너를 그린다

너를 그린다
너를 추억한다
너를 그리워한다
당신은 무엇이길래
나에게는 무엇이길래
이토록 그대는 고통인가
하지만 이 역시 추억이었고
이렇게 당신만을 그리워한다
나의 추억을 그대는 아는지
이토록 고통을 건네는가
나에게는 사랑이기에
당신은 지침이기에
너를 그리워한다
너를 추억한다
너를 그린다

이 밤 그대를 기억하는 이 밤

지우개

썼다 지워도
머릿속에서 되뇌어지는 네 이름

너로 인해 가득 쓰였던 따뜻함은
수백 번을 지워도 사라지지 않아

그때 우린 이렇게 될 줄 알았을까?
우리의 영화도 엔딩이 있었다

지워 볼게
오늘도 내일도 잊지 못한다면

먼 훗날 그때에
잊어볼게

사랑   29

안녕이라는 말

너는
해맑던 얼굴로 안녕이라고
나에게 다가왔었다

점차 변하던 나에게
단 한 번도 내색하지 않고
처음같이 변치 않던 사람

내가 느낀 너는
처음과 끝이 같은 사람이었을 텐데

안녕이라는 말로 다가온 네가
안녕이라는 말로 떠나갔을 때

너는
구슬픈 얼굴로 안녕이라고
나에게 멀어져 갔다

너라는 이야기

고리

세상에 반은 여자라도
그대는 하나뿐인걸

자꾸 그대 보여 내 눈에
아닌걸 아는데

자꾸 그대 들어와 내 안에
올 수가 없는데

세상이 우리를 갈라놓아서

이제 더는
볼 수 없고 만질 수 없는
바람불어 끊어진 그대 그 사람

지금은 우리 고리 끊어진대도
그 먼 훗날 붙일 수 있기를

우리의 졸업식

영월(盈月) 뜬 어느 날 밤
2월 중 이였다.

그날 아침은 졸업하는 학생들로
문전성시를 이루며 바삐 움직이는
참 복잡한 하루였다.

그날 밤엔
너 또한 졸업식을 준비했는데
벤치에 걸터앉아 문득 반지를 빼며
우리를 졸업하여
서로가 되자고 했다

사계를 함께 나고 희로애락을
공유하던 우리가
어떻게 서로가 될 수 있느냐며 매달렸건만
그렇게 끝내
우리는 서로가 되었다

너라는 이야기

높이 쏘아 올려
살포시 떨어진 학사모하곤 다르게
움켜쥐다 그만 놓쳐버려
바닥에 나뒹굴어 진 반지는
빛이 나지 않았었다.

염원(念願)

우린 자석 같았던 걸까

너무 가까이에서
글씨를 본 듯

내가 너무 가까이 가서
오히려 네가 흐려진 걸까

혹시라도 우리 다시 만나게 되면
빠르게 붙지 말고
조심히 다가갈게

천천히 고즈넉하게

너라는 이야기

그대라는 사치

너와 만나는, 내겐 너무 비싼
이 시간 이 순간이

우주의 삶 속 찰나의 순간뿐인
이 시점 이 현실이

사치스럽다

네가 걸어온다
해맑은 얼굴로
네가 다가온다
명랑한 모습으로

아찔하다

코를 감싼 향기에 취해
그만 정신을 잃은 나
이 길이 꽃밭이기 때문인가
네 모습 때문인가

좌우지간 사랑이렷다.

사랑의 운명론

길을 걷다 문득
첫눈에 반한 사랑

우연과 우연히 만나면
인연이 된다

인연과 인연을 붙이면
운명이 된다

운명을 이어가다 보면
비로소
필연이 된다

수많은 우연 속에 마주친 인연
그렇게 우린 운명적으로 만나
필연이 되었다.

별꽃

저는 시인입니다
제 마음을 솔직하지만
노골적이지 않게 시인하는
저는 시인입니다

저는 기도합니다
밤하늘 별의 길을 따라가며
뿌려진 별들을 한 아름 모아
저는 기도합니다

내가 사랑하는
아니, 내 안에 사무친
별꽃 같은 당신의 내일이
아니, 먼 미래에도

내내 어여쁘소서

무표정

너와 헤어진 다음 날
무표정으로 출근하는 날이었다

요리하던 와중
칼에 살짝 베어버린 손
붉은 선혈이 살짝 흘렀지만
아프지가 않아

무표정으로 애써 참아냈다

정신없이 일하던 와중
잠깐 쉬는 시간 급작스레
투명한 눈물이 흐르는 눈
심장 끝이 아려와

무표정으로 애써 참아낼 수 없었다

아까 다친 손이 이제 아팠던 걸까
어제 다친 마음이 이제 아픈 걸까

어떤 상처가 먼저 치유되려니

너라는 이야기

바람

그냥 그렇게 흘려보내면 되는 거다

잔잔한 호숫가 통통배처럼
선선한 하늘 위 비행기처럼
무료한 도로 위 개미떼처럼

그냥저냥
이렇게 저렇게
아무 일도 아닌 것 같이

내 안의 네 그리움조각 바람에 실려 보내고

미련 한 점 남지 않게 툴툴 털어버리고
네 향기 날려 보내고

그냥
그렇게
흘려보내면 되는 거다

꽃길

친구들이 물어본다
그 길
네가 지금 걷는 그 길

무슨 길을 따라 걷고 있느냐고
사실 잘 모르겠다

이 길이 맞는 것인지
혹여 걸으면 안 되는 길인지

낭만으로 가득한 당신이자
한 단어로 표현하기 힘든 그대

그런 당신의 뒷모습만을
바라보며 걸어가는 이 길 끝이

한없이 행복한
꽃길이기를

간절히 바라봅니다

발아 실패

나에게 사랑이란 당신이었다

너는 말했어
자기가 좋아하는 사람을 만나고 싶다고

나 또한 그랬어
내가 좋아하는 사람을 만나고 싶다고

내 끝은 너였지만
네 끝은 내가 아니었기에

겨우내 땅속에 숨어있던 씨앗은
결국, 피어나지 못했다

사랑해줘
내가 가지지 못한
그 사랑을 가진 그 사람

연정

모월 모일부터 시작된
이 연정은 영겁의 시간동안
계속 되리라

겁은
천사가 삼년 주기로
사십리 돌을
얇고 고운 비단옷 입고 춤을 추며
다 닳게 만드는 시간

내 백골에 새긴 당신을
길고 긴
영겁의 시간 동안
잊지 않으리

어찌 잊으오리까

너라는 이야기

그런 사람

사랑하면 바보 같아 진다는 말
그 말의 의미를 알게 되었다

온종일 보고 싶고
온종일 바라보고

웃는 모습에 나는 녹고
놀란 모습에 나는 웃고

곁에 있는 것만으로 행복한 사람

머릿속을 뛰어다니는 사람

내 꿈속에 매일 노크하는 사람

노곤해진 몸에 살포시 내려앉은 이불같이
나를 따스히 감싸는 네 품

그런 너를 생각하며 오늘을 마감하는

참, 바보스러운 나다

23번째 날

스물둘의 제 가슴속 그대를 박았던 사람
그리 모질게 떠났던 그대

당신의 못을 빼는 데는
나의 하루는 끝나지 않은 채
꼬박 일 년이 걸렸지요

그렇게 한참을 밤새던 어느 날

자국의 빈자리엔
새 둥지를 찾는 비둘기처럼

새로운 사랑이 찾아왔습니다

빈자리에 트인 새 둥지의 아기 새소리는
그 시간 속에 멈춰있던
시계태엽을 감았고

오늘 밤 그렇게
저의 스물두 번째 밤이 갔습니다

소원

나른한 햇살이 찾아오면
너는 잘살고 있구나 하는 생각이 들어

근데 있잖아
나는 말야
사실 아직 힘들어

그때 그 시절 그 시간 속의
사진 한 장 속에 갇혀있는
행복했던 웃음들

소원이 있다면
찬란했던 우리의 날들을
잊지 말아 주기를

공허

내 옆엔 사랑하는 사람이 있지만
채워지지 않는 공허함은
무얼까

마음의 짐은 응어리가 되어
짓눌려져 상처는 커지고
메꾸어지지 않는 웅덩이는
무얼까

내 옆의 그녀에겐 미안하지만
자꾸 네 생각이 나

미안해
이 말을 누구에게 해야 하는지

너라는 이야기

멈춰버린 지구

그날부터
지구는 돌지 않았다

너를 만나 멈춰 있었던
보기 싫은 잿빛 지구가
다채로운 수채화가 되었었지

서로를 서로의 색으로
팔레트 한가득 채우고
행복을 그려가다가

어린 나이 지구를 떠나버린
나를 두고 세상을 등져버린
당신을 잃은 그 순간

그날부터
지구는 돌지 않았다

그때 그 거리

오랜만에 그때 그 거리 걸어본다

그리 짧게 걸리진 않았지만
이젠 이별이 당연해졌음에
다시 한 번 그때 그날을 걸어본다

함께 먹던 포장마차 집
같이 걷던 노원역 거리
함께 웃던 가로등 아래

모든 것은 그대로인데
하나 변한 건 그대이네

너라는 이야기

검은 사람

기다리겠다는 약속을 하던 나
다채로운 무지개색이었다

약속은 지키지 못하였고
그때부터 나는 점점 빛을 잃어 갔던 것이겠지

나를 발화시켜 나온 연기는
검게 피어오르려나
나를 착즙하여 나온 즙은
쓴맛이 나려나

시간에 속아 잊고 살았었다
가약을 부순 난 검고 쓴 사람이다

석양

네가 떠나던 날
그날은 가을의 오후
석양이 지는 오후였다

가는 길 하늘의 붉은 빛이
내 마음을 대변하듯
더욱 슬퍼 보였고

석양은 너를 만나 더욱 붉어졌었다

행복바랜 사진

찰칵
그때 그날은 행복을 찍었었지
그때 그날이 생각나 찾아봤어

오랜만에
정말 오랜만에 추억을 열어 보았더니
그때 나는 행복하게 웃고 있었어

행복을 찍었지만
시간이 지나면 빛이 바래지듯
추억으로 변해버린 사진

지금은 시간이 지나서
행복한 웃음보단
슬픈 웃음으로 보이지만 말이야

그때 나는 행복하게 웃고 있었어

설중매향

너는 그랬다
눈 속의 매화가 더 짙은 향을 품듯이

너는 그랬다
힘들 때에도 더 밝은 빛을 뿜었다

겨울을 걷다 문득
매향이 코끝을 간지럽혀
간만에 네 생각이 났다

변색

당신의 세상에 물들어
사랑하였지만
온통 잿빛이었습니다

눈앞은 어두컴컴하고
빛은 희미해져 가고
세상은 스러지며, 옅어져만 갈 때에

다만
그 색에 내가 물들지 않길
바랄 뿐 이었습니다

편지

긴 긴 밤
머릿속으로 써 내려갔지만
결국, 글자 한 자
적지 못했습니다

현존하는 단어 보다
그 슬픔이 더욱 가득 하여
결국, 글자 한 자
적지 못했습니다

내일 밤 또한
내내 그러할듯하여
아득하기만 합니다

니라는 이야기

가끔 생각 나는 날

만남이 익숙해지고
헤어짐이 편해질 때

그땐
사랑했고 사랑받았으니
미련없다 생각했지만

오늘 같은 날이면

다시 돌이킬 수 없다는
처연한 생각에 사무칠 수밖에

빙산

수면 위의 아름다움
당신을 전부 알았다고 착각했습니다

그 깊은 빙산 하부를 알았더라면
보이지 않던 당신의 내면을 알았더라면
당신을 사랑하지 않았을 것 같습니다

수면 아래의 차가움
당신을 전부 알았다고 착각했습니다

너라는 이야기

시작과 끝

사랑의 시작은
두근거린다고 하는 것이나
설렌다고 하는 것이겠지

일순간의 감정 후엔
없어도 괜찮다고
더는 행복하지 않다고했다

그게 사랑의 끝이었다

넋두리

사랑했던 만큼
넋두리도 하였다

딱 그 정도
같은 양 같은 높이로

사랑했던 만큼 슬픈 걸 보면
그 둘은 같은 질량을 가진 모양이다

너라는 이야기

색

몽글몽글 피어나
화려한 끝맺음을 이루었습니다

겹겹이 쌓인 우리의 꽃잎
무한히 겹쳐진 우리의 만남은

이내 행복한 결실을 보게 됐네요
지금 우리의 색깔만큼은
눈부시게 아름답습니다

반쪽

저는 제 삶의 반을 살겠습니다
그러고선 기다리겠습니다

당신께서
남은 반을 살아주세요

그제야 제 삶은
완성품이 될 것 같습니다

너라는 이야기

그런 날

심심한 날엔
너를 불렀다

보고 싶은 날엔
너를 찾아갔다

그리운 날엔
한없이 외로워져 갔다

아닌 척

인정하기 싫지만
나는 매 순간 온 마음을 쏟았고
당신은 필요할 때만 조금씩 나누었다

후두두 빗소리에 정신이 들어
달리는 생각을 멈추고
인연이 아니겠거니 읊조리며 걸었다

겨우 몇 걸음 걷지도 않았건만
여느 이별이 그렇듯
걸음걸음 드는 생각이 다르듯
우중충한 잿빛 하늘 때매
또다시 멈추며 말했다

나는 그리 슬프지 않았는데
하늘은 내가 그리도 슬퍼 보였나 보다

사랑이었다

심란할 때면 놀이터로 곧장 가서
우리는 그네를 타며
네 흩날리는 머리를 보고 깔깔댔고
나는 우스꽝스러운 자세를 선보였다

내가 올라가면 네가 따라왔고
네가 올라가면 내가 따라갔다
사랑이었다

네가 떠날 때 또한
그네를 타며 헤어졌고
네가 떠난 후 또한
그네를 타며 그리워했다

함께 놀던 놀이터엔
움직이지 않는 그네와
내려가기만 하는 내가
우두커니 서 있을 뿐이다
사랑이었다

혼잣말

천둥 번개가
우르르 쾅쾅 내리더니
칠흑 같던 적막함을 찢었다

깜짝 놀란 나는 이내
나지막이 혼잣말을 했다

다행이다
당신 없는 적막함은
너무 고요했다

너라는 이야기

교감

눈을 감았지만
마음을 떴다

귀 또한 닫았지만
가슴으로 들었다

볼 수 없고 들을 수 없어도
느낄 수 있었다

그렇게 우린 서로 교감을 했다

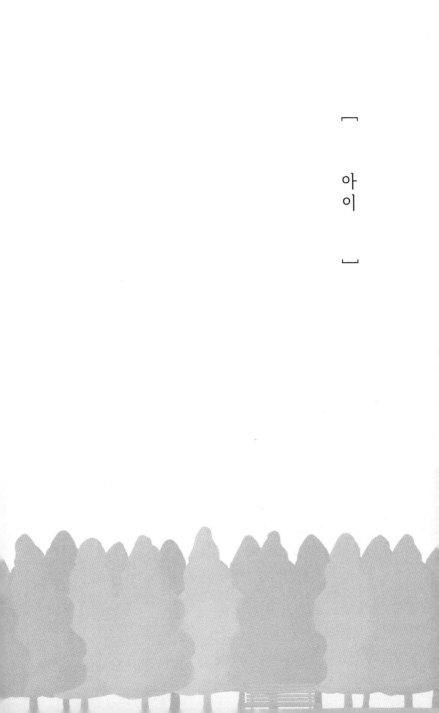

아
이

사랑 = X

사랑은 설렘 사랑은 행복
사랑은 추억 사랑은 미련
사랑은 고통 사랑은 그리움
사랑은 X

그 어떤 것으로도 부를 수 있고
그 어떤 것으로도 표현할 수 있는
나는 사랑을 X라고 한다

그대는 나에게 X
나에게 X인 그대는
X의 그대는 나에게...

한없이 좋은
한없이 어려운
한없이 아쉬운
X

애상(愛想)

사랑에 빠지면 어떤 기분일까요

세상이
구름 위를 걷듯이 몽실몽실할까요

세상이
무지개를 보듯이 다채로워질까요

사랑, 그것은 알 수 없는 것
알 수 없어서 설레는 것
보고 싶고 또 보고 싶은
생각해도 또 생각나는
이런 게 사랑일까요
그대도 나와 같을까요

사랑에 빠지면 이런 기분일까요

눈시울

너의 눈에는 참 많은 얘기가 있어
사랑해, 소중해, 멋있다

그중에서 제일 멋진 이야기는
네가 바라보고 있는 나라고 느껴

그러니 눈시울을 붉히지 말아 줘
맑은 너의 눈동자 속에 계속 있고 싶은
내 마음이야

문득

그런 날이 있어 불현듯 떠오를 때

이유 없이

너. 생각나는 날이
너. 보고 싶은 아침이
너. 떠오르는 밤이

지금. 갑자기. 왜. 문득

책상에 걸러앉길 금방
수분 뒤 나는 곧장 고개를 들었다

아, 이유가 있구나?

비상

날아가자
선선히 부는 가을바람
포근한 흰 구름
파아란 하늘

달리자
고민일랑 버려두고
저 푸른 하늘 솜사탕을

조심하자
얕은 곳을 밟으면
쏙
빠질 테니

가져가자
뭉게구름 솜사탕을
두 팔 벌려
한 아름 따서

소녀

그대를 사랑하는 이유
오뚝한 코
똘망똘망한 눈동자
올라간 입꼬리

어여쁜 그대

그래서 그렇다
사랑하는 이유

이래서 이렇다

그대를 사랑하는 이유
새침한 성격
감성적인 마음씨
해맑은 미소

단 하나뿐인 그대

그래서 그렇다
사랑하는 이유

너라서 그렇다

밤하늘

한 소년이 뒷동산에 올라
밤하늘을 본다

광활한 우주의 신비함에
소년은 벅차오른다

한 소년이 크레파스를 꺼내
점과 점을 잇는다

어두운 밤하늘 그 안에 도형 하나
소년은 매료되었다

심심한 밤하늘은 그렇게 채워졌다

소년의 도화지는 밤하늘

소년의 그림은 별자리

소년의 이름은...

어린 왕자

너라는 이야기

"기다려줘"
그대, 마지막 말이었다
얼마 뒤 당신을 보고 채울 수 있겠지

나는 오만하게도
그대 빈자리 채울 줄 알았다

그냥 미련하게 그 말을 믿었는데
이럴 거면 왜 그런 소릴 했는지
이런 애절함 그대는 아는지

당신의 빈자리를 채운, 가져보지 못한
그대를 가진 저 사람을
선망하며
이내 고개를 떨구는 나였다.

수강신청

향수

내 고향 한번 뿌려볼까

내겐 넓던 집
까치 놀던 뒷산
친구 만나던 놀이터
힘껏 발차던 태권도장

한편에 고이 모아 담아둔 향수

제품명
"이 여름의 노스텔지아"

나이테

인생은 성장의 굴레

몸이 성숙해질 때
나이테 한 줄

정신이 성숙해질 때
나이테 한 줄

사랑을 배울 때
나이테 한 줄

이별을 배울 때
나이테 한 줄

한 줄 한 줄
그려가다 보면

언젠간 견고하고 굳센
소나무처럼

그 언젠간
나도 단단해지겠죠

별거 없는 별

별거 아니다
길거리 개미무리 보듯이

별거 아니다
시간 지나면 잊히듯이

그녀에게 난
밤하늘 수놓은 수많은 별 무리
그들 중의 하나

그런 별거 없는
그런 별이다

너라는 이야기

콜라

내가 제일 좋아 하는 건 역시
콜라

목 넘길 때 시원한 느낌이
청량하달까

혀끝에 닿는 달달한 느낌이
달콤하달까

벤치에 앉아 마셔봐요, 멋있게, 그리고 폼나게

맛있는 참 시원한 콜라
멋있는 척하는 아이

있잖아

있잖아
하고 싶은 말이 하나 있어

그럴 때 있잖아
이 말 하지 못하면 죽을 것 같을 때

이 말 한마디 하고 싶어
내일 영화 보러 갈래?

너라는 이야기

새벽 유랑단

아침에는 눈을 뜨고
저녁에는 눈을 감아야지
새벽에도 눈을 뜨려면

자고 일어나는 일상적인 순환이 아닌
가슴의 눈이 뜨이는 이 시간대는

귀는 저 별들의 노랫소리를 듣고
코는 정갈한 새벽 내음 맡아주고
입은 귀뚤귀뚤 귀뚜라미와 박자 맞추며 노래하고
손은 약간 차가운 바람을 어루만지는

새벽 유랑단의 활동시간

그땐 몰랐었다

당신을 보내고 난 뒤
이리도 후회 할 줄

새로운 출발을 시작하려 했을 때
어떤 이는 말했다

아마 하기 전을 못 잊을 거라고
그 시작은 부작용이 심할 거라고

나는 무시했다
아니, 알지만 그때는 부정했다

히지만 새로움의 설렘이 끝나고서야
나는 부작용의 의미를 깨달았다

후회해도 늦었던 것이지
그전이 좋았다는 것을

교정기

너라는 이야기

타투

타투를 받으러 갔다
두두두 박히는 침은
나를 아프게 만든다
참고 버티면 더 예쁜
내가 되겠지

떠나간 그대와 같다
그대 또한 가시였다

그대 가시가 되어
더
더
더
나를 아름답게 만들어 주었다

겨울잠

쿨쿨 자고 일어나면
추위가 끝나있겠죠

겨울나려 저장한 아픈 마음
끝나면 해결되겠죠
모조리 소화되겠죠

겨우내 소화하다 보면
꽃피는 그 봄날 다시 오겠죠

쿨쿨 자고 일어나면
추위가 끝나있겠죠

너라는 이야기

스마트폰

스마트폰은
똑똑한 핸드폰 아닌가

근데 왜
주름 자글자글한 우리 부모님은
제대로 활용하지 못할까

한 번도 가르쳐 드리지 않았구나
인생을 가르쳐 주셨던 분임에도

텀블러

텀블러 속에 물을 채워본다
그만큼의 물만 들어가겠지

나는 텀블러가 되기 싫다
정해진 용량의
정해진 삶이 아닌

헤아릴 수 없는, 고정되지 않은
그런 마음을 가진 사람이
되고 싶다

너라는 이야기

알갱이

모래사장에서 발을 굴러보자
부스스 부스스
흩날리는 모래 알갱이

파도를 타며 발을 굴려보자
첨벙첨벙
튀기는 바다 알갱이

엄마별을 보며 발을 굴려보자
또르르 또르르
떨어지네
보고 싶은 엄마 알갱이

물병

우리의 병에는

설렘을 가득 채우고
애틋함으로 색을 넣고
사랑의 뚜껑을 덮어 만드는

그런 물병을 만들자

너라는 이야기

아이러니

'처음'이라는 단어에
'사랑'을 붙이면
'첫사랑'이 되고

'풋'이라는 단어에
'사랑'을 붙이면
'풋사랑'이 되는데

당신이란 사람에게
사랑을 붙이면
'내 사랑'이 돼버린다

나와 호수

네가 의미 없이 던진
자그마한 돌덩이는

어느 하나 빠짐없이
호수의 끝까지
울려 퍼지네

어느 한 곳
닿지 않는 부분 없이
큰 파동을 일으키네

너라는 이야기

혼잣말

천둥 번개가
우르르 쾅쾅 내리더니
칠흑 같던 적막함을 찢었다

깜짝 놀란 나는 이내
나지막이 혼잣말을 했다

다행이다
당신 없는 적막함은
너무 고요했다

사랑에 빠진 순간

당신의 목소리가
나의 고요함을 채울때

당신의 빛이
나의 어둠을 밝힐때

당신의 손길이
나의 걱정을 덜어줄 때

절경

끔찍하게 어두운 천장에
생각을 쏙쏙 그려본다

초록 지구 속의 너
쪽빛 바닷물에 둥둥
허연 조각배를 띄우자
노란 태양 빛 물감칠해지니

절경이었다

순간
모든 우주가 너를 쳐다보았다

따뜻한 비

겨우 눈 뜬 오후 1시
고즈넉한 햇살이 얼굴을 적셔
세수하는 기분으로 잠을 깼다

어슬렁어슬렁
방에서 기어 나와
간단한 끼니를 때우고 하늘을 보았다

신기하게도 맑은 하늘에서
내리는 빗방울은 찝찝하지 않고
울적한 기분을 씻겨주었다

하늘에서 내려오는 비가
오늘따라
유난히 따뜻하나

너라는 이야기

소소한 행복

기분이 울적하여
심란한 표정을 지을 때
꼴에 풀어주려

재미난 얼굴로 노래를 불러줬던
우스꽝스럽고 해맑던 그 광경이

무척이나 먹먹해져
웃음을 참아낼 수 없었다

호수

나는 몰랐다

우리가 가볍게 여긴 갈라진 틈으로
어느샌가 물이 흘러
큰 호수가 됐다는 것을

진작에 틈을 메꿨더라면
우리 사이, 큰 호수가 가로막지
못했을 텐데

너라는 이야기

외로움의 정의

너와 있으면
같이 있어도 외로운 것 같아
같은 곳에 있어도
서로 반대를 보는 것 같아

나는 마치
저마다 반짝거리는 별 가운데
암흑 같은 우주 속
우두커니 서 있는 기분이야

문장부호

제가 쉼표인 줄만 알았던
문장부호가

당신은 마침표이었다는 것을
미처 몰랐네요

너라는 이야기

한편

그저, 스쳐 지나가는 인연
그런 사소한 인연인 줄 알았었는데

이제는 당신의 행복을
뒤에서 빌게 되네요

행복해 주세요
그래야 한편 가벼워질 것 같네요

생
각

부화뇌동(附和雷同)

끝을 알 수 없는 어두컴컴한 강
팔 벌린 교량 위
고민하던 소녀가 멈춰 섰다

제 일생의 거울처럼
한치의 출렁임도 없는 저 강
소녀는 풍덩 고뇌에 빠졌다

"인생은 선택의 연속이라 하는데
나는 정녕 살아 있다고
할 수 있는가
자의 없는 삶 목표는 이뤘지만
꿈을 이뤘나"

비로소 처음 삶을 되짚던 소녀
강은 뼈저린 허무함을 실은
공허한 탄식에
이내 미미하게 출렁였다

사람들은 소녀를 일명
꼭두각시 인형이라 말한다

비단 이 소녀만의 근심은 아님에도

사념

추운 겨울 어느 삼경량
사내는 불을 붙인다

월백이 이리 밝음에도
초 하나 켜야 함은
사내의 근심 때문인가
주변이 어두운 까닭인가

가슴속 작은 촛불 켜지도 못했건만
오롯이 밝게 빛나는 저 촛불 보며

사내의 태식,
창밖의 저 눈마냥 쌓여만 간다

믿음

마음의 평화를 찾는다
믿음은 그런 것이다

어느 것을 믿든지 무엇을 원하든지
할 수 있다는 믿음만 있다면
무엇이든지 할 수가 있다

자신이 믿는 대로
자신의 의지대로

그것이
마음의 평화이자
마음의 안식처이다

세 잎 클로버

당신은 누구입니까

세 잎 클로버는 행복
네 잎 클로버는 행운

지천으로 깔려있는 행복
그러나 행운만을 좇는 당신

행복은 마음속에 있고
마음먹기에 따라 주울 수 있습니다

그대는, 당신은, 너는
지금 무엇을 좇고 있습니까

그대는, 당신은, 너는
지금 행복합니까?

휴식

많은 사람은 잠시
휴식을 취한다고 한다

'휴식' 그 말 그대로 하던 일을
멈추고 잠깐 쉰다는 표현

그대들의 삶이 지치고 힘들다면
한 번쯤 '쉼표'를 가져보도록 해보자
전엔 보지 못한 새로운 일상을 만날 수도

바쁜 현대인들의 삶 속 가장 필요한 건
잠깐의 휴식이 아닌
'쉼' 아닐까

너라는 이야기

그대는 아름답다

좌절 실패 절망 낙망
인생을 비관하지 말고
밟고 성장해라

슬퍼하지 마라
상처투성이 과거
그런 장면 또한 그대여라

모든 걸 양분 삼아 성장하였기에
모든 걸 한데 모아 쌓아 올렸기에

그대는 아름답다.

빛

바닥 차며 걸어가다 중얼 거렸다

"돌맹이 너는 보석에 비해
빛도 나지 않고 이쁘지도 않아
못났다"

그러자 그 돌맹이
데굴데굴 굴러가서
시냇물로 샤워하며
내게 물었다
"지금은 어때"

많은 빛에 가려져 알지 못했었다
자신도 갈고 닦아 빛날 수 있음을
나도, 너도, 우리들은
저 돌맹이구나

너라는 이야기

줄

사람과 사람
너와 나
우리를 이어주는

감정의 매개체
빗대어 표현한다면 [줄] 되시겠다

사람들 사이엔 보이지 않는 줄이 있다
서로가 서로에게
한 발짝 한 발짝
아슬아슬한 줄타기의 묘미
단, 편할수록 조심!

위험하지만, 진심으로 다가가며
이 감정을 그대들은 아는지
알아준다면 후련 해질는지
또, 그만큼 당신도 나를 배려해 줄는지

오늘도 우리는 줄타기를 한다.

은애(恩愛)

이 사랑을
제가 어찌 갚아 나가야 할까요

언제나 나에게
위로가 돼주던
버팀목이 되어주던

푸르른 나무처럼 변치 않는
당신의 사랑을

할부로 갚겠습니다

모든 계절로 나누어서
내 평생에 걸쳐서

텅 빈 방

담배 하나 꼬나물고
베란다에 우두커니 서
뭔가 기대해본다

바람 한점 불지 않는
연락 하나 오지 않는
그런 밤

혼자 서서 고뇌하는
밝은 월 백 마주하는
그런 방

담뱃불마저 꺼지니
아주 텅 빈 방이다.

죽음에 관하여

뒤돌아보면 덧없는 삶이요
비단 가치 없진 않았으니
나는 농염하게 뒤돌면서
이 세상 등보이며 가보련다

뒤돌아보면 비극 같던 삶이요
비단 웃음 잃진 않았으니
나는 호탕하게 웃으면서
뒷세상 바라보며 걸으련다

나 죽어 세상 내려가는
천사 만날때에
아름다운 곳이었다 속삭이련다

고즈넉한 하루

바람 솔솔 부는 날이면
가볍게 차려입고
공원 벤치에 앉아
호젓한 하루를 보내

뛰노는 꼬맹이들
바스락거리는 잔디
어깨 토닥이는 구름
고즈넉한 하루를 보내

같은 하루 같은 일상
무료하다면 무료할 때
하늘이 잿빛으로 보일쯤
그땐 이런 하루를 보내

생각

새벽

가슴에 월백 비추는 이 새벽녘
저 문밖 이슬 맺힌 풀꽃

수척한 몸을 이끌고
나는 풀꽃에 물었다

저 풀밭 반딧불이가
내 몸을 휘감았다
반딧불이는 내 물음에
답이라도 하듯

점차 하나, 둘 깜빡이며
사라져만 갔다

가슴을 찢고 나온 이 불빛
굳이 이름을 정해보자면
바스러진 기억의 한 조각일 뿐

너라는 이야기

기억의 잔상들은
미미하게 흔적을 남기며

나의 절망 또한
그 길을 따라가다가

다시, 고요한 새벽이 오려나 보다

홍연

석양이 진다
굴뚝에서 나온 퀴퀴한 연기
하늘의 석양빛을 받아
아름다운 홍연이었다

몸이 기운다
가슴에서 또르르 나온 눈물
내 속의 아련빛을 담아
어두컴컴한 잿빛이었다

서로 다른 황혼이었다

힘들면 그냥 울어

항상 웃으라는 말이 있어
살다 보면 너무 힘들 땐
웃을 수 없을 수도 있지

참으면 응어리가 지고
더 깊어질 뿐이야
그럴 때는 참지 마
힘들면 그냥 울어

그렇지만
무너지지만 마

단풍잎

햇살을 머금은 만큼
더더욱 붉은색을 띠는
단풍잎같이

사랑을 머금어
주변을 환하게 비추는
그런 사람이 되고 싶다

착각

죽을 만큼 노력했다고
착각했었다

왜 성공하지 못하냐고
인정받지 않는 것을
억울해하였다

내가 죽을 만큼 노력했지만
다른 사람 또한
그만큼 노력했다는 것을 알았을 때

나는 평균치의 노력인 삶이었다

겨울이 오네요

겨울이 오네요
초록색 노란색 빨간색
온갖 다채로운 색으로
덕지덕지 색칠한 계절이 가네요

겨울이 오네요
푸르던 나뭇잎 뻘겋게 익어간 단풍잎
이제 앙상한 나뭇가지만
허전하게 남겠네요

겨울이 오네요
주위 사람에게 온정을 베풀면
상대적으로 몸과 마음이
더 따뜻해지는 계절이 오네요

그런 겨울이 오네요

너라는 이야기

그리움

떠나가는 것을
그리워하는 것이 아닙니다

그저, 지워 지려 하는 것을
지우지 않으려 하는 것입니다

잊히어지지 않게
그리워하는
까닭입니다

삶의 방식

무의미한 것들은
신경 쓰지 않고

안 좋은 일들은
이겨내 버리고

살아있는 동안엔
그저, 삶에 충실할 수밖에

너라는 이야기

행복의 과정

행복해진다는 건
포기해야 하는 것이 많아진다는 것

행복을 위한 모든 일련의 과정들이
무엇하나 빠짐없이

힘들다

갈망

행복했던 시간은
찰나의 순간처럼 빠르게 지나가
언제 그랬냐는 듯
다시 무감각해진다

다만, 오랫동안
그 추억 속을 맴돌고
그 순간을 갈망하여
나를 살게 하는 원동력이 된다

갈대

부슬부슬
창밖에 내리는 비 탓인지
쾅쾅
하늘에 치이는 천둥 탓인지

내 안의 갈대들이 이리저리 뒤엉켜
바스락바스락 소리를 낸다

이 비
그치지 않으려 하나보다

선

산다는 것은
선을 닮아있지 않나 싶다
각자 저마다의 크기와 굵기가 다른 선

그로 인해 그려진 그림도 다르기에
저마다 다르지 않나 싶다

그러니 사람들은 똑같지 않을 수밖에
저마다 이해하기 힘든 마음을
갖고 있을 수밖에

흔들림이 많은 선이나
올곧은 선이나
각자 선은 틀린 게 아닌
다른 것 뿐이기에

너라는 이야기

다른 안녕

살아가다 보면
포기해야 할 순간이 온다

움켜쥐려 해도
잡히지 않는 것들

항상 하던 우리의 안녕이
영원한 안녕이 되어버리는 순간